给孩子一本好书，就是给他们精神上的维生素。

图书在版编目（CIP）数据

宝葫芦的秘密／张天翼著；美国迪士尼公司改编；
童趣出版有限公司编.
—北京：人民邮电出版社，2008.9
（迪士尼永恒经典珍藏版）
ISBN 978-7-115-18586-0

Ⅰ.宝… Ⅱ.①张…②美…③童… Ⅲ.图画故事—中国—当代
Ⅳ.I712.85

中国版本图书馆 CIP 数据核字（2008）第 115078 号

迪士尼永恒经典珍藏版
宝葫芦的秘密

原　　著：张天翼
改　　编：朱家欣
插　　图：钟智行
根据中国电影集团公司、华特迪士尼、先涛电影娱乐有限公司联合
拍摄的同名电影改编

出 版 人：侯明亮　装帧设计：姜　婷
策划编辑：史　妍　责任编辑：郑建唐
编译出版：童趣出版有限公司
出版发行：人民邮电出版社
地　　址：北京市东城区交道口菊儿胡同七号院（100009）
网　　址：www.childrenfun.com.cn
经销电话：010-84180552
邮购电话：010-84180588
邮购地址：北京市东城区交道口菊儿胡同七号院（100009）
印　　刷：北京华联印刷有限公司
开　　本：889×1194　1/20
印　　张：3
字　　数：48千字
版　　次：2008年10月第1版　2008年10月第1次印刷
书　　号：ISBN 978-7-115-18586-0/G
定　　价：25.00元

© Disney Enterprises, Inc.

迪士尼永恒经典

珍藏版

宝葫芦的秘密

童趣出版有限公司编　人民邮电出版社出版
北京

阅读经典，播撒幸福的种子

什么是真正的幸福？生命的意义到底在哪里？

长大以后，人们会经常这么问自己。而不断地阅读、积累知识、开拓视野正是获知答案的一种途径。阅读不应该带有太多的功利性，正如"随风潜入夜，润物细无声"，它是一个循序渐进、潜移默化的过程。在阅读的过程中，阅读者的心情与体会，认知与思考，会随着心智的慢慢成熟而不断提升，逐渐成型。阅读能丰富孩子的精神生活，更早地开启他们的心智，帮助他们拥有健康的人格。可以说，童年时阅读的品质将影响孩子一生。

那么，应该让孩子读什么样的书呢？这是许多家长和老师一直在关注和思考的。

孩子的阅读，需要用心选择。阅读经典，必不可少。递给孩子一本经典童书吧，让爱玩爱闹的他开始安静下来，让沉默少语的她逐渐开朗起来。

《迪士尼永恒经典珍藏版》即是这样一套经典童书，它所讲述的故事家喻户晓，寓意隽永，充满童趣，每一篇都是超越了时间与空间的"经典"。这些"经典"中的文字、图画与思想，无一不洋溢着热情，浸透着善良，焕发出美好。

"请不要以貌取人，真正的美来自心灵深处！"《美女与野兽》中，女巫惩罚了自私的王子，但同时她又说："如果你学会了爱与宽容，咒语就会解除。"这就是童话，它总能为犯了错误的人留下一扇向善的小窗，也留下了美好与希望。

《阿拉丁》里的神灯、《宝葫芦的秘密》中的宝葫芦，都是能为主人实现心愿的宝物。可是，"只有品格优秀的人才能进入神秘洞窟取到神灯"，"只有靠自己的努力取得进步才能得到真正的快乐"，惩恶扬善、诚实做人这些道理，能让孩子在愉快的阅读中轻松领悟。

《赛车总动员》讲述了一个如何看待成功与定义幸福的故事，它不仅迎合孩子好奇、探索的个性，也颇讨成年人的喜爱，非常适合亲子共读，堪称经典佳作。《小美人鱼》里美轮美奂的海洋、动人心弦的故事，以及《狮子王II》中壮丽的大自然、感人至深的脉脉温情，不仅将孩子们带进了一个奇妙瑰丽的世界，还让他们深刻感受到人性的美丽与力量。

就像经典的音乐足以吸引人们反复欣赏，好书也经得起人们一再阅读。这套《迪士尼永恒经典珍藏版》是值得孩子们热爱和珍藏一生的好书，精彩的图画，精妙的故事，精巧的设计，精美的印刷……

愿这套经典童书如同生机勃勃的蒲公英，随风摇曳，播撒幸福的种子，它将扎根于孩子的心灵，为成长撒下一片绿荫。

浩瀚的太空，联合国的一架航天器遭到陨石的撞击，严重受损，情况十分危急！一名中国宇航员接到紧急救援的命令，立即登上"葫芦号"飞船向太空飞去。只见他沉着冷静、行动迅速，在航天器即将爆炸的千钧一发之际，将受困的宇航员救了出来。

危机解除了，人们热烈欢迎英雄的凯旋。令大家惊讶的是，从"葫芦号"飞船里走出的竟然是一位少年，他稚气的脸上充满了甜蜜与自豪。

　　突然，一位老奶奶牵着小妹妹挤出人群向小英雄跑去，一边冲他挥手一边喊："王葆，你怎么在这儿呀？"少年也是一脸的惊讶，说："奶奶，我刚从太空回来呀！这回我可立了大功呢！"

"王葆，快醒醒！""哥哥，起床啦，要上学啦！"奶奶和妹妹急切的呼唤声把王葆叫醒。王葆揉揉眼睛一看，咦？身上的太空服怎么变成了睡衣？身处的地方怎么不是飞船，而是卧室？哦，原来刚才太空救援的一幕，只是一场梦。

　　王葆遗憾地叹了口气，真希望自己能成为一个拯救世界的小英雄，让爸爸妈妈和奶奶高兴，让妹妹崇拜，让老师夸奖，让同学钦佩……

上学的路上，王葆遇见了学习小组的同学，有苏鸣凤、杨栓、郑小登和姚俊。一见面大家就询问他昨晚有没有预习好功课。

王葆早就把这事忘到九霄云外了，只好支支吾吾地说："放心吧，老师不会问我的！"谁知这话刚一出口，立刻遭到了同学们的批评。

课堂上，刘老师却偏偏第一个就把王葆叫了起来。站在黑板前，王葆的头又开始疼起来。那些数字和符号好像从黑板上跳了出来，正围着他团团转呢！

　　刘老师问王葆到底有没有预习。不等王葆回答，同学杨栓就抢着回答："王葆说他一看到数字就头晕！"这话惹得全班同学哄堂大笑，而王葆早已羞红了脸。

到了课外活动的时候，王葆颇为自豪地摊开设计图向大家展示，"瞧瞧我的太空船设计图，这里是太空望远镜，在那儿可以打乒乓球……"

可同学们很快就找出了设计图的毛病。苏鸣凤说："连尺寸、比例都没有，要我们怎么制作呀？"姚俊也笑他："可别弄个'豆腐渣'工程出来呀！"

王葆气鼓鼓地收起设计图，转身离开活动室就回家去了。一路上他都在想：这些人不看自己，只会取笑别人。哼，你们等着瞧吧，我非要做出点成绩给你们看看！

16

王葆回到家里，听到奶奶又在给妹妹讲那个"宝葫芦"的故事："从前有一个宝葫芦，它不但会开口说话，还能为它的主人实现任何愿望。它可以变出很多的布娃娃，还能带着小朋友飞上天，摸一摸像棉花糖一样的云彩呢！"妹妹问："宝葫芦真的什么都能变吗？我要是有一个宝葫芦就好了！"

　　这个故事王葆不知听过多少遍了，可惜它不是真的！

王葆决定去湖边钓会儿鱼，散散心。"不能总被他们取笑，我要想办法超过他们，我要数学考满分，我要比他们都棒！"他想了一会儿,又补上一句:"最好不用费劲儿……"王葆沉浸在遐想中，根本没留意到原本平静的湖面正在慢慢发生变化……

　　湖面上水波涌动，鱼儿纷纷跳出了水面。突然，王葆的渔钩动了，他赶紧收线——竟然从水里拉起了一个金光闪闪的葫芦！王葆一用力，葫芦被甩进了树林里。

　　王葆感到既惊奇又有趣，捡起一块小石头扔过去试探。不料葫芦伸出手来，接了个正着。王葆更惊讶了，"你，你是什么怪东西？"葫芦开口说话了："怪东西？我可是个宝贝啊。我姓宝，叫宝葫芦。你奶奶经常讲我的故事。"

王葆瞪大了眼睛，问："你就是那个什么都会变的——宝葫芦？""对啊，我是来帮你的。"宝葫芦说。王葆觉得太不可思议了，"你为什么要来帮我呢？"葫芦笑着回答他："因为你做什么事都不想费劲儿啊！有了我，你什么都不用做。"王葆还是不太相信，"不管我想要什么，你都可以变出来？"宝葫芦回答："那当然喽！我能帮你实现任何愿望。不过，你要保守秘密。"

　　王葆喜出望外，迫不及待地答应道："我保证不告诉任何人。"宝葫芦高兴地跟王葆勾了勾小手指，"好，从现在开始，你就是我的主人了。"

为了证明自己的能力，宝葫芦要为王葆实现愿望了。王葆希望不用垂钓就能有很多鱼，宝葫芦立刻念起了口诀："宝葫芦，葫芦宝，葫芦浑身都是宝。金鱼鲤鱼黄花鱼，愿望成真真奇妙。我变，变，变。"话音刚落，无数条不同种类的鱼出现在王葆周围，任他挑选。王葆有点饿了，宝葫芦念念有词，各式美食排着队来到王葆跟前……王葆满心欢喜地享受着宝葫芦提供的贴心服务。

美餐过后，王葆又对宝葫芦说："我还从来没坐过飞机呢！不知道飞是什么感觉。""这个容易！"宝葫芦立刻变出一架酷似葫芦的小飞机，让王葆坐在上面，宝葫芦在前面驾驶。

　　"主人坐好，我们要起飞了。"飞机载着王葆，腾空而起。"报告，葫芦号开始爬升，顺利进入航道，风速每小时三十公里，晴天。注意——'葫芦号'全速前进！"王葆像鸟儿一样在云中飞翔，俯瞰美丽的家乡，这种感觉真是太美妙了！

宝葫芦载着王葆飞到学校，降落在操场上。迎面走来了同学郑小登。小登一眼就看到王葆手里拎着的鱼桶，不禁惊讶地问道："哇！这些都是你钓的？还有金鱼！"王葆点点头，心里得意极了。

　　小登喊来其他同学，大家围着鱼桶赞叹不已，可杨栓却发现了问题，说："真奇怪，湖里怎么会有金鱼呢？"

　　王葆立刻意识到自己出了差错。杨栓还拉来了刘老师一起研究。刘老师建议同学们去学校图书馆找答案。王葆赶紧找了个借口脱身，说："我明天就去借书给大家看吧。再见！"

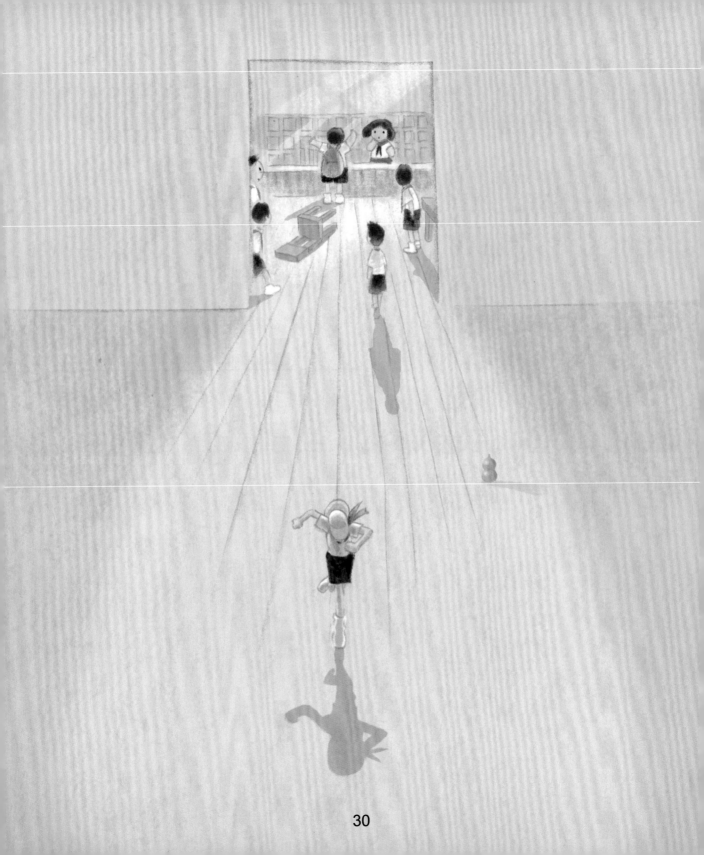

第二天一大早，王葆就来到了图书馆。管理员告诉他："我们这儿有一本专门讲述鱼类知识的图书，很不巧刚被别的同学借走。"王葆连连叹气，怪自己的运气真不好。这时，借走那本书的同学突然大叫起来，"我的书不见了！"

　　大伙儿都帮忙找书，王葆却惊奇地发现，那本书不知什么时候跑到了自己的书包里！"大家会把我当成偷书贼的！"他慌忙把书丢下，逃出了图书馆。一定是宝葫芦又在胡乱帮他实现愿望！

离开了图书馆，王葆被同学拉去下棋。王葆平时挺擅长下棋，不过今天的对手实力更强。王葆自言自语道："我要把你的马吃掉！"突然，一个硬邦邦的东西飞进了他的嘴里，而对手也在大叫："我的马不见了！"原来，是躲在树上观战的宝葫芦干的。这可害苦了王葆，只要他一动吃棋子的念头，棋子就会飞进他嘴里。王葆怕被同学们发现，只好紧紧捂住嘴巴。

好不容易挨到这盘棋下完，王葆赶快跑到没人的地方，边吐棋子边骂宝葫芦："棋子能吃吗？你到底懂不懂人话啊？"宝葫芦委屈地挠挠脑袋，"是你说要吃的呀！"

　　正说着，那本鱼类科普图书居然像鸟一样拍着书页从他们面前飞过！王葆立刻追在后面大喊："抓住它！宝葫芦，快把它送回去！"

　　王葆和宝葫芦追着书到处跑，一直跑到了游泳馆，书扑通一声跳进了水里，王葆也不得不跟着它跳进了游泳池。在一旁的游泳教练却因此发现王葆是个游泳的好苗子，于是极力邀请他加入学校的游泳队，去区里比赛。王葆心里犹豫着要不要答应教练，宝葫芦信誓旦旦地保证会帮他，这让他打消了顾虑。

　　游泳训练开始了，在宝葫芦的帮助下，王葆游出了令众人惊诧的好成绩。教练像发现了天才一样高兴。王葆也很开心，如果他参加全区比赛并取得了好成绩，一定会令大家刮目相看的。"葫芦，到时候可全靠你了！"宝葫芦信心十足地点头答应："放心吧，主人，全包在我身上！"

　　王葆开始接受宝葫芦的全方位服务了！早上，宝葫芦就是闹钟，准时把他叫醒；刷牙、洗脸、穿衣服，什么都不用自己动手。课堂上回答问题，有宝葫芦的提示，王葆总是抢着回答，又快又准确。家庭作业有葫芦帮忙做，连脚指甲也是宝葫芦为他剪。奶奶夸小葆变懂事了。同学们都感到很奇怪：王葆怎么像变了个人？

　　王葆的转变，让同学们感到奇怪，更觉得神秘。王葆有点骄傲，又有些心虚。渐渐地，他和同学们变得疏远了。王葆有了宝葫芦这个朝夕相处的朋友，反倒感到了孤独。宝葫芦什么事情都为他做，连好逸恶劳的王葆也觉得没意思，他规定葫芦以后一些事情还是让他自己做，比如说下棋、打游戏。宝葫芦似懂非懂，说："好玩的事情你做，费劲儿的事情我来做。你玩我干，咱们分工明确。"

42

　　听说电影院正在上映《恐龙反击战》，很多同学都去看了。王葆也想去，可惜票已经卖完了，他便让宝葫芦想办法。宝葫芦为难地说："观众都已经入座了，哪里还有票啊？""我不管，你快把我变进去！"王葆急切地催促葫芦。结果，宝葫芦这回又理解错了，直接把王葆变进电影里去了。宝葫芦并没有意识到，让王葆身临其境会给他带来危险，直到它听见王葆高呼"葫芦救命"，才驾驶着"葫芦号"把他从恐龙口中救了出来。

44

电影是看不成了，王葆决定回家。当他们路过一家玩具店时，王葆立刻被里面的各种玩具吸引住了。宝葫芦问他喜欢哪一款，王葆随口答道：全都喜欢。喜欢归喜欢，哪能都买回家呢？可是快到家时，王葆发现了异常情况：一架架模型飞机从头上掠过，一辆辆玩具汽车、坦克从身边驶过；还有更多的玩具争先恐后地走在王葆前面。

王葆推开家门，立刻惊呆了——刚才看到的那些玩具全都到自己家来了。王葆生气地对宝葫芦喊道："你又在搞什么鬼？"宝葫芦回答道："你不是说这些玩具都喜欢吗？"王葆命令宝葫芦马上把这些玩具送回去！

　　宝葫芦不明白，为什么自己替王葆实现心愿反而让他
不高兴。王葆说，有时心里想是一回事，能不能这么做是
另一回事。接着他又郑重其事地告诉宝葫芦，以后别再给
自己添乱了，不要再胡乱替他实现什么愿望，只要在学习
上好好帮助他就行了。

　　第二天是数学考试。王葆事先和宝葫芦打过招呼，要宝葫芦帮他拿到好成绩。宝葫芦躲在窗外的树上，念起口诀："宝葫芦，葫芦宝，考试从来不用读。分数代数公倍数，顺手拈来最舒服！"结果，班长苏鸣凤试卷上的答案全部被搬到了王葆的卷子上。

　　但是，王葆的作弊行为很快就露馅儿了，因为宝葫芦把苏鸣凤的名字也连同答案一起搬了过去。王葆在大家的责问下，无地自容，羞愧地逃出了学校。

王葆跑到和宝葫芦初次相遇的湖边，把所有的愤怒、羞辱一股脑都发泄在了宝葫芦身上，"都怪你！你害我吃棋子、偷书、偷玩具，还偷苏鸣凤的答案，现在大家都把我当成了小偷！"

　　宝葫芦还是想不明白，这不都是王葆想要的吗？为了逗王葆开心，宝葫芦又变出火焰，还变成妖怪。王葆被这个听不懂人话的"宝贝"气得七窍生烟，这哪里是什么宝贝，简直就是个祸害！

"以后我自己的事情，我自己做！我不要你了！"王葆面对湖面，使出全身力气把宝葫芦远远地扔了出去。只听扑通一声，宝葫芦掉进水里，不见了。

　　天空下起了雨，王葆痛苦地回想起有了宝葫芦的这段日子，羞愧、悔恨、失落一起涌上心头。这时，他听见有人在呼喊他的名字。

　　原来是刘老师和同学们找他来了。大家鼓励王葆改正错误，告别过去。王葆痛下决心，一定要凭自己的努力取得进步！

从这天开始，王葆真的像变了一个人。操场上、游泳池，洒下了他刻苦训练的汗水；教室中、家里书桌前，留下了他勤奋学习的身影。

　　终于到了游泳比赛的这一天，宝葫芦来到湖边，它很想去帮助小主人，可主人不要自己了，它只能站在他们初次相遇的地方，默默地祝福王葆。

　　游泳池里，王葆和队友们奋力拼搏；观众席上，老师和同学们都在为他们加油。成功了，王葆和队友们拿了冠军！队员们都欢呼雀跃，王葆却对自己的胜利将信将疑，他想知道，是不是宝葫芦在暗中帮助自己。

"宝葫芦……你在吗？我们赢了！"湖边的树林里，王葆深情的呼唤感动了正准备远行的宝葫芦。宝葫芦告诉王葆，这次自己并没有帮助他。王葆第一次凭自己的努力取得了真正的胜利，他兴奋得跳了起来！宝葫芦也从心里为王葆的进步感到高兴。

宝葫芦依依不舍地向王葆告别。一只小鸟飞了过来，带着宝葫芦飞向遥远的天边。王葆默默地举起手，向这个曾经给自己带来许多麻烦的伙伴告别。

天空中布满了金色的晚霞，把湖水和树林渲染得无比温暖而美丽。